Stephen Mackey

Miki

Lumen

MUY LEJOS DE AQUÍ, en un lugar donde siempre es invierno, vive una niña que se llama Miki. Todo su mundo era helado, frío y blanco hasta que un día descubrió un lugar mágico y nuevo.

Durante los días luminosos y cortos y las noches negras y largas, Miki y su amigo el Pingüino exploraban el mundo invernal.

Un día se encontraron con un arbolito que temblaba
en la nieve. Parecía muy frío, muy pelado y muy solo.

Así que lo arrastraron hasta su casa, y lo decoraron con lucecitas muy brillantes y bonitas. Fue un camino muy largo para un pingüino y una niña friolera.

El Pingüino se montó en su bicicleta especial y pedaleó
cada vez más fuerte, hasta que las luces del árbol brillaron
como estrellas. ¡Brilla, brilla, brilla!

Pero pronto los pequeños pies del Pingüino se cansaron
y, una por una, las lucecitas se apagaron.

Entonces Miki fue a buscar a su amigo, el Oso Polar, que sopló y sopló tan fuerte como pudo, hasta que las aspas giraron y las lucecitas brillaron como nunca.

Pero incluso el oso más fuerte acaba por cansarse.
Y muy pronto los tres amigos volvieron a quedarse a oscuras.

Al día siguiente, un ruidito en la barriga de Miki le avisó de que era hora de pescar el desayuno.

Se sentó y esperó hasta que picaron el anzuelo. Picaron y tiraron con tanta fuerza que... ¡ZAS! Miki se cayó dentro.

El Pingüino fue a buscar al Oso Polar: "¡Ayuda!", gritó.

Pero cuando el Oso Polar miró por el agujero, no vio
a Miki por lado alguno.

Pero Miki no corría peligro, pues
estaba con el más simpático de
los peces gigantes. Descubría con
sorpresa un nuevo mundo submarino,
lleno de erizos de mar, anguilas
y ENORMES MEDUSAS...

¡OSTRAS! Miki se cayó al fondo del oscuro y profundo océano.

El Oso Polar y el Pingüino estaban muy preocupados
por su amiguita. El Oso Polar, que era el más grande
y valiente de los dos, bajó el primero a buscar a Miki.

Buceó muy, muy abajo, hasta
que se mareó. Pero no vio a
Miki, solamente encontró su
caña de pescar que flotaba
en la oscuridad.

En el fondo del mar, Miki se despertó con un cosquilleo.
Sólo pudo decir "Hola".

Pero el pulpito ya se había ido.

"¡Espérame!", dijo Miki abriéndose paso entre los pétalos de la flor de mar gigante. Entonces vio algo precioso: era como si todas las estrellas del cielo de la noche se hubiesen caído al fondo del océano.

El Oso Polar salió del mar con la caña de Miki
en su pata.

Ahora debía ser valiente el Pingüino.
Llevaba un vestido especial que le hacía aún más valiente.

"Miki, ¿dónde estás?", gritaba el Pingüino en el vacío.

Entonces una sombra en el fondo se acercó
más y más, hasta que...

Las piernas le fallaron y los dientes le temblaron.
"Oso Polar, sácame de aquí", gritaba.

¡Un segundo más tarde y el Pingüino habría sido
el desayuno de alguien!

"Ahora no es hora de dormir", dijo el Pingüino enfadado mientras salía del agua. "Tenemos que encontrar a Miki."

El Oso Polar estaba preparado para volver a bajar. El corazón le latía muy fuerte. Las piernas le temblaban y la cabeza le daba vueltas mientras se sumergía en el agua.

"¡Atención! ¡Hay un monstruo aquí abajo!"

El hielo que se extendía bajo sus pies empezó a romperse,
y se abrieron grandes grietas. ¡Cataplum! ¡Ahhhhhhhhh!

El monstruo extendió sus largos, largos brazos,
y les dijo adiós.

"¡Miki!", gritaron el Oso Polar y el Pingüino. Finalmente
su mejor amiga volvía a casa.

Miki traía en su bolsillo una estrella de mar muy brillante.

Nunca más habrá oscuridad en el mundo de los tres amigos.

Título original: *Miki*
Publicado originalmente en el Reino Unido por Hodder Children's Books,
un sello de Hachette Children's Books.

Primera edición: marzo 2009

© 2008, Stephen Mackey, por el texto y las ilustraciones

© 2009, Random House Mondadori, SA
Travessera de Gràcia 47-49, 08021 Barcelona

Traducción: Francesc Strino
Realización editorial: Bonalletra Alcompas, S.L.
Diagramación: Editor Service, SL

ISBN: 978-84-488-2798-4

Impreso en China